Superstarke Tiergeschichten

PESTALOZZI-VERLAG, D 8520 ERLANGEN

Die Stadtmaus und die Feldmaus

Eines Tages beschließt Stefan Stadtmaus, seinen Freund Ferdi auf dem Lande zu besuchen. Stefan zieht seine besten Sachen an, denn er will Ferdi Feldmaus zeigen, was man in der Stadt trägt.

Ferdi empfängt ihn sehr herzlich und setzt ihm das Beste vor, was er in der Speisekammer hat: Körner, Wurzeln, Beeren und selbstge-kochte Konfitüre. Doch Stefan findet, daß alles erdig schmeckt.

Am Abend setzen sich die Freunde vor das Haus, und bald gesellen sich die Nachbarn dazu. Stefan erzählt über das Leben in der Stadt und hebt hervor, wie bequem und schön es da ist.

Ferdi wird neugierig, er möchte auch mal in die Stadt. Als Stefan sagt: „Komm doch gleich mit!", überlegt er nicht lange und packt seine Reisetasche. Die Nachbarn begleiten die Freunde.

Bald sind sie in der Stadt. Ferdi Feldmaus erschrickt, als er die vielen Menschen und Autos sieht. Er ist froh, als sie Stefans Wohnung erreichen. „Du wohnst aber schön!" ruft er begeistert.

„Folge mir!" sagt Stefan, und Ferdi steht jetzt in der Speisekammer.
Da gibt es alles, was sich ein Mäuseherz nur wünschen kann. „Nun,
habe ich zuviel versprochen?" fragt Stefan stolz.

Auch der Küchentisch ist ein richtiges Mäuse-Schlaraffenland.
Doch Ferdi traut sich nicht so recht zuzulangen. Als er endlich nach
einem Stück Kuchen greift, pfeift Stefan plötzlich schrill.

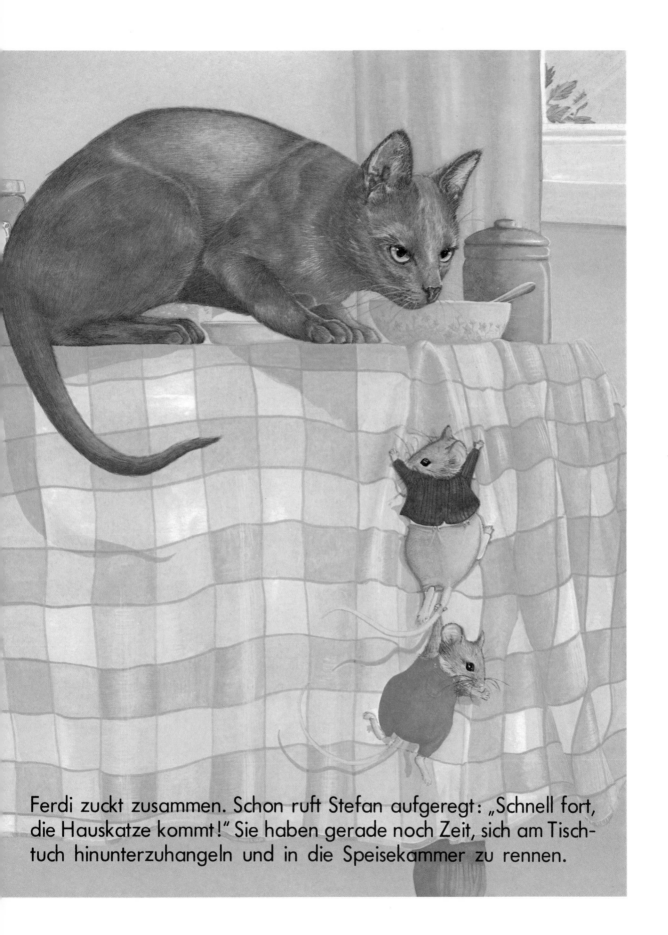

Ferdi zuckt zusammen. Schon ruft Stefan aufgeregt: „Schnell fort, die Hauskatze kommt!" Sie haben gerade noch Zeit, sich am Tischtuch hinunterzuhangeln und in die Speisekammer zu rennen.

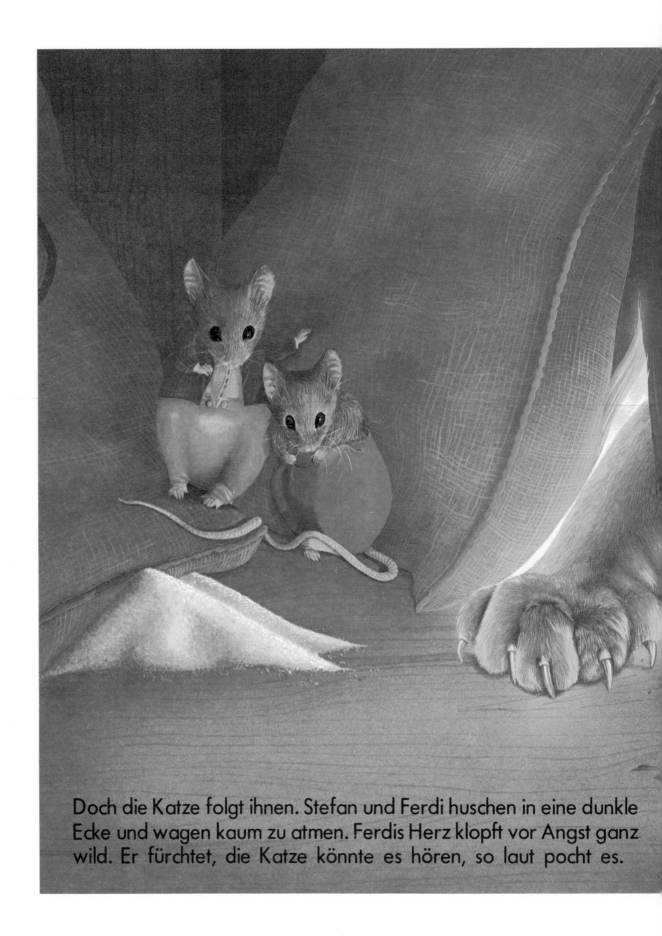

Doch die Katze folgt ihnen. Stefan und Ferdi huschen in eine dunkle Ecke und wagen kaum zu atmen. Ferdis Herz klopft vor Angst ganz wild. Er fürchtet, die Katze könnte es hören, so laut pocht es.

Nachdem die Gefahr vorüber ist, kommen die beiden aus dem Versteck hervor. „Die Katze ist weg, wir können weiteressen", sagt Stefan Stadtmaus. Ferdi aber ist inzwischen der Hunger vergangen.

Während er noch unschlüssig herumsteht, pfeift Stefan wieder. „In meine Wohnung, schnell!" Sie rennen um ihr Leben. Zum Glück wird die Katze abgelenkt, sonst hätte sie einen von ihnen erwischt!

„Das halte ich nicht länger aus!" sagt Ferdi Feldmaus. „Was nützt mir das beste Essen, wenn ich es nicht in Ruhe genießen kann?" Und damit verabschiedet er sich und geht wieder heim.

Die Nüsse sind verschwunden!

Edy Eichhorn stellt fest, daß seine Nüsse fort sind. Wer könnte der Dieb sein? Vielleicht die Kaninchen, die immer unter dem Baum sind?

Doch Mutter Kaninchen schimpft: „Meine Kinder sind keine Diebe! Such deine Nüsse woanders!" Sie kennt da keinen Spaß!

19

Der Storch meint: „Vielleicht hat sich jemand
einen Scherz erlaubt und deine Nüsse
im Rohr versteckt." So schlüpft
Edy ins Rohr und…

fällt am anderen Ende — plumps! — in den Teich. „Iii!" schreit er erschrocken. Doch dann fragt er das Entchen: „Weißt du, wer meine Nüsse geklaut hat?" — „Wahrscheinlich die Hamster!" antwortet es.

Und wirklich findet Edy die Nüsse in deren Bau. „Diese faulen Diebe!" schimpft er.

„Haben Vorräte für mehrere Winter und hamstern noch mehr zusammen!" Er packt seine Nüsse in den Sack, schultert ihn und zieht zufrieden nach Hause.

Dann erzählt Edy Eichhorn allen Baumbewoh-
nern die Geschichte von seinen verschwunde-
nen Nüssen.

24

Zottel, Tapsi und der Ball

„Fang den Ball!" ruft Teddy Zottel dem Waschbärenkind zu. Tapsi streckt sich und springt, aber der Ball ist bereits über den Zaun geflogen. Was nun?
Tapsi zwängt sich durch die Latten und läuft seinem Ball nach.

Zottel schwingt sich über den Zaun. Der Ball springt und rollt den Berg hinunter. Hopp, hopp! und wieder hopp! „Auweia!" ruft Tapsi, denn jetzt rollt er genau auf den Maulwurfshügel zu. Der Maulwurf reißt die Arme hoch...aber der Ball springt über ihn hinweg.

Zottel und Tapsi laufen lachend weiter. Der Ball nähert sich dem Pferch der Schafe und springt sogar hinein. Zottel will ihm nachsteigen, da plumpst er genau auf Mutter Schaf. Ach, das ist ein Schreck! Und der Ball? Der springt auf die Wiese, dem Wald zu.

„Schnell nach, sonst verlieren wir ihn noch aus den Augen!" ruft Tapsi. Am Waldrand ist der Ball plötzlich fort. Dann entdeckt ihn Tapsi und kriecht ihm flink nach. „Na, Zottel, du kommst wohl nicht durch!" neckt der Fuchs, denn der Teddy steckt fest.

Hau ruck! — macht er sich frei... und purzelt nach hinten. Tapsi über ihn. Das sieht lustig aus! Der Ball nähert sich dem dichten Gebüsch. „Gleich haben wir ihn!" ruft Zottel. Aber er irrt sich, der Ball ist fort, einfach verschwunden! Die Freunde sind ratlos.

Dann stöbern sie weiter. „Das ist doch ein Kaninchenbau...", sagt
Zottel. Er zwängt sich durch den Eingang und späht hinein. „Der
Ball! Schnell nach!" Tapsi folgt zögernd. Plötzlich stehen sie vor den
Kaninchen. „Der Ball ist dort wieder hinaus!" ruft eines.

Zottel und Tapsi kriechen zum anderen Ausgang hinaus. „Oje, dort schwimmt er!" ruft Zottel. Tapsi ist dem Weinen nahe: „Mein Ball ist fort!" Mutter Kaninchen sagt: „Nehmt doch das Boot des Bibers! Damit erreicht ihr euren Ball ganz sicher." — „Danke, danke!"

Beide steigen ins Boot. Rechts — links, rechts — links! Sie haben eine
Menge Zuschauer. Jetzt sind sie ganz nahe am Ball. „Gleich habe
ich ihn!" ruft Tapsi. Er streckt sich danach und... fällt kopfüber ins
Wasser. Aber den Ball hat er wirklich erwischt!

Bald sind sie wieder auf dem Heimweg: Zottel, Tapsi und der bunte Ball. „Warst du baden?" fragt ein Mäuschen. Tapsi schüttelt sich und brummt: „Ich wollte ja nicht, aber der Ball..." — „Laß gut sein", tröstet Zottel, „gleich spielen wir weiter."

Hei, wie der Ball hin und her fliegt! „Ich kann gar nicht so schnell gucken!" ruft das Mäuschen. Bums! fliegt der Ball Zottel an den Kopf, und er setzt sich ins Gras. „Hihihi!" kichert das Mäuschen. „Das war ein Volltreffer, Tapsi!"

Der Hase und der Igel

Der Igel ist sehr stolz auf sein Rübenfeld. Er und seine Familie essen Rüben für ihr Leben gern und trinken auch begeistert Rübenwein. Eines schönen Morgens geht der Igel in sein Rübenfeld, um dort zu arbeiten.

Als er gerade die Rüben gießt, kommt ein Hase mit einem Spazier-
stock vorbei. „Hast du aber krumme, kurze Beine!" spottet er.
„Und ich wette", ruft der Igel, „daß ich mit diesen Beinen einen
Wettlauf mit dir gewinne!" — „Die Wette gilt!" lacht der Hase.

Sie legen noch den Wetteinsatz und die Zeit fest. Dann geht der Igel heim und erzählt seiner Frau, was er vorhat. „Dem eingebildeten Hasen werde ich's schon zeigen!" sagt er. „Aber du mußt mir dabei helfen. Zieh diese Kleider von mir an und komm mit!"

Der Igel und seine Frau gleichen nun einander wie ein Ei dem anderen. Draußen erklärt der Igel: „Verstecke dich am anderen Ende
unseres Rübenfeldes! Sooft der Hase angerannt kommt, rufst du:
'Ich bin schon da!'" Sie lacht: „Und er meint dann, das wärst du!"

Die Igelfrau setzt sich hinter den Rosenstrauch und wartet. Inzwischen haben sich auch Zuschauer eingefunden. Alle halten zu dem Igel. Den eingebildeten Hasen können sie nicht leiden. „Also dann",

ruft der Hase. „Fünfmal bis zum Ende des Rübenfeldes und wieder zurück. Auf die Plätze — fertig — los!" Der Igel bleibt in seiner Furche sitzen, der Hase schießt wie ein Blitz davon.

In wenigen Sekunden erreicht er das Ende des Rübenfeldes. Doch er will seinen Augen nicht trauen! Der Igel wartet bereits und ruft: „Ich bin schon da!"

Der Hase dreht sich um und saust zurück. Aber wieder ist der Igel Erster. „Noch einmal!" ruft der Hase. Er macht kehrt und flitzt, so schnell er nur kann, wieder ans andere Ende des Feldes.

Der Igel wartet schon auf ihn. Dabei ist er nicht mal außer Atem!
Der Hase rennt zurück und wieder hin, doch jedesmal ist der Igel
vor ihm da. Die letzte Strecke geht der Hase nur noch im Schritt.

Und wieder ruft der Igel: „Ich bin schon da!" — „Ich muß aber gewinnen!" denkt der Hase und schleppt sich das letzte Stück dahin. Schließlich gibt er auf und bricht zusammen.

„Du hast... den Wettlauf... gewonnen!" keucht er. Ist das ein Jubel
bei der Igelfamilie! „Ihr seht ja wie Zwillinge aus, man kann euch
wirklich nicht unterscheiden!" ruft das Küken. „Kein Wunder, daß
der Hase den Betrug nicht gemerkt hat!"

„Diese Lektion wird er nicht so schnell wieder vergessen!" sagt die Igelfrau. „Es wird ihm auch nicht mehr einfallen, uns Igel wegen der kurzen Beine zu verspotten", lacht der Igel. „Jetzt aber wollen wir feiern!" — „Hurra, feiern!" schreien die Kinder.

Und dann wird es ein langer, gemütlicher Abend. Der Maulwurf beginnt: „Habt ihr gesehen, wie der eingebildete Hase..." Die Kinder rücken dichter zusammen, sie sehen den Sprecher mit glänzenden Augen an, sie sind ganz Ohr. Denn sie wissen, so fangen immer die spannendsten Geschichten an.

Die schönsten aber kennen sie schon, denn sie haben sie öfter gehört. Es genügt, wenn sie bitten: „Erzähl doch... Wie war das damals, als der Wolf...?" Schon beginnt ein Erwachsener: „Hahaha! Das waren noch Zeiten... Einmal ging der Wolf..."

Struppi findet einen Freund

Hach, wie Struppi sich langweilt! Wenn nur schon sein Frauchen aus der Schule käme! Auf einmal springt der kleine Hund erschrocken hoch: Jemand hat ihn in den Schwanz gekniffen! Vorsichtig dreht er den Kopf. Aber das ist doch... Entchen Watschel!

Da rennt Watschel los, Struppi hinterher. „Dir rupf ich alle Schwanzfedern aus!" kläfft er. Watschel kriegt Angst und flieht quer über die Pferdekoppel. „Dem ist das zuzutrauen", denkt das Entchen und flattert in den Gemüsegarten. Gibt Struppi auf?

Er denkt gar nicht daran! Lautlos pirscht er bis zur Bank vor, schleicht unter ihr hindurch und... hat das Entchen auf einmal vor der Nase. Die beiden prallen zurück. Dann bellt Struppi, und Watschel flieht. Das Fangenspiel macht dem Hündchen Spaß.

Die Verfolgungsjagd geht jetzt an der Hundehütte vorbei. Struppis Brüder feuern ihn an: „Zeig's dem Winzling! Pack ihn!" Struppi muß spurten, denn Watschels Vorsprung wird immer größer. Es ruft sogar frech: „Ätsch, du fängst mich nicht!"

Dann verschwindet es im Kuhstall. Struppi schleicht ihm nach, aber er kann Watschel nirgends sehen. Sein Herz beginnt laut zu pochen. Hat die Schecke etwa das Küken verschluckt? Nicht auszudenken! Struppi würde am liebsten heulen.

Er macht kehrt, da schreit ihm Watschel auf einmal ins Ohr: „Suchst du vielleicht mich?" Vor Schreck fällt Struppi fast um. Er schaut erst die Kuh, dann Watschel an und macht kein sehr gescheites Gesicht. Umarmen würde er das Entlein, so froh ist er jetzt.

Doch das rennt plötzlich los, huscht blitzschnell in den Schafstall und springt auf den Rücken eines Lammes. Spöttisch schaut es von oben herunter. Struppi bellt warnend hinauf. Dann versucht er, Watschel zu erreichen. „Spring doch höher!" spottet es. Endlich zieht Struppi

verärgert ab. „Ach was, bald kommst du von selbst herunter!"
brummt er und versteckt sich im Strohhaufen. Struppi wartet und
wartet... fast wäre er eingeschlafen. Da erscheint Watschel pfei-
fend in der Tür, und weiter geht das lustige Spiel.

Hei, wie die zwei über die Wiese rennen! Vor lauter Übermut bellt Struppi wie verrückt. Das Entchen ruft: „Bahn frei!" Denn nun geht es mitten durch die Hühnerschar. Die Hühner sind empört, die Küken wollen mitlaufen. Was haben Struppi und Watschel vor?

Sie laufen auf den Teich zu. Hach! Watschel atmet auf, denn hier kann es so leicht keiner erwischen. Aber Struppi hechtet nach. „Wer ist eher am anderen Ufer?" ruft Watschel. Fast geichzeitig erreichen sie es und gehen dann wie zwei alte Freunde dem Hof zu.

Der kleine Igel

Vater Maus will in Ruhe die Zeitung lesen, doch Molly bettelt:
„Papa, erzähl uns etwas!"

Als er die Zeitung weglegt, klopft es laut an der Tür. Molly macht sogleich auf und… springt dann erschrocken zurück. Ein großer Stachelkopf erscheint in der Tür. „Ich suche meine Eltern", weint das Igelkind.

„Ich gehe mit und helfe dir", sagt Vater Maus. Sie suchen im Gebüsch. „Iii!" quietscht der kleine Igel. „Der Fuchs!" Vater Maus ruft:

„Schnell in den hohlen Baum!" Kaum sind sie drinnen, steckt der Fuchs den Kopf durch die Öffnung. Aber er kann ihnen nichts antun.

Als die Gefahr vorbei ist, suchen sie weiter. „Hat jemand von euch Vater und Mutter Igel gesehen?"

„Nein, heute nicht! Aber wir helfen euch", rufen alle. Da kommt ein Vöglein geflogen und sagt: „Igelkind, deine Eltern suchen dich! Folge mir, ich zeige dir den Weg zu ihnen." Und wohin führt das Vöglein den kleinen Igel?

Vor das Mäusehaus! Wie freuen
sich alle, daß das Igelkind seine
Eltern wieder gefunden hat!

Minkas Abenteuer

Die kleine Katze springt aufs Regal und schnuppert an den Töpfen. Sie merkt gar nicht, daß sie nicht allein in der Speisekammer ist. Sie hat die Maus auf dem Tisch noch nicht entdeckt. Doch da hört sie ein Knabbern und ruft: „Da bist du ja, du kleine freche Maus!"

Schwupp! flitzt die Maus zur Tür hinaus und Minka hinterher. Plötzlich rutscht der Teppich unter ihren Füßen weg, und sie stürzt — holterdipolter! — die Treppe hinunter. Vor Schreck bleibt sie einige Zeit liegen, doch dann saust sie nach oben...

Die Maus schlüpft schnell durch die offene Tür ins Kinderzimmer.
„Verflixt, ist die flink!" schimpft Minka. Sie stöbert im Puppenhaus,
unter dem Bett. Schau, schau, hinter dem Dackel guckt doch ein
Schwänzchen hervor! Minka schleicht sich heran, will zupacken...

da entwischt ihr die Maus von neuem und flitzt auf den Dachboden. Wieviel Gerümpel da herumsteht! „Das kann spannend werden", denkt Minka und folgt ihr in eine alte Kiste. Doch, hast du nicht gesehen, ist die Maus durchs Fenster aufs Dach hinaus!

„Dir mach' ich einen Knoten in den Schwanz!" droht Minka. „Fang mich erst!" ruft die Maus und saust das steile Dach hinunter bis zur Dachrinne und... verschwindet einfach im Abflußrohr. Zuerst schaut Minka dumm drein, dann ruft sie „na, warte..." und klettert

vom Dach. Unten angekommen, ruht sich die kleine Maus erst einmal aus. „Die Katze hab' ich wieder mal abgehängt", denkt sie erleichtert. Freu dich nicht zu früh, kleine Maus, denn schon steht sie vor dir! „Iiih!" fiept die Maus erschrocken und rennt los.

Es geht quer durch den Garten, und Minka bleibt ihr dicht auf den
Fersen. Doch plötzlich ist die Maus wie vom Erdboden verschluckt!
Später entdeckt Minka einen alten Schuh und guckt drin nach. Hui,
saust die kleine Maus aus ihrem Versteck! Wohin geht's denn jetzt?

Wieder dem Haus zu. Das Fangenspiel macht beiden einen Riesen-
spaß. Die Hausfrau hat auf der Terrasse gerade den Kaffeetisch
gedeckt. Schon ist die Maus beim Kuchen, Minka grapscht nach
ihr... „Auweia!" schreit sie, als es klirrt und poltert. „Schnell weg!"

Die kleine Maus rennt zitternd vor Angst in die Diele und schlüpft durch ein Loch unter den Holzfußboden. „Pss!" macht Minka, die ihr gefolgt ist, „endlich weiß ich, wo ihr Haus ist!" Sie streckt eine Pfote ins Mauseloch, doch sie greift ins Leere. Die kleine Maus ist

schon längst durch einen anderen Ausgang wieder hinaus und in die Speisekammer gehuscht. „Die freche, kleine Maus ist mir wieder entwischt!" stellt Minka fest. Und wohin schleicht sie? Natürlich in die Speisekammer. Bald kann das Spiel von vorn beginnen...

Ein verregneter Tag

Es ist sieben Uhr, und Teddy schläft immer noch. Langohr schleicht ungeduldig durchs Zimmer. „Kikerikiii!" schreit der Hahn, doch es gelingt ihm nicht, Teddy zu wecken. „Wie lange will diese Schlafmütze denn noch schlafen?" denkt Langohr. „Wir haben heute doch einiges vor!" Da stellt der Hase den Wecker ein und hält ihn dicht an Teddys Ohr. „Krrrr, krrr!" Im nächsten Augenblick springt Teddy auf die Beine und schaut entsetzt um sich. Langohr ist nun selber erschrocken und rennt zur Tür. „I-i-ich w-w-wollte dich n-n-nicht ersch-schrecken", stottert er, „a-a-aber..." Teddy sieht auf die Uhr. „Gut daß du mich geweckt hast! Schnell frühstücken, wir fahren angeln."

Zuerst holen sie das gelbe Schlauchboot aus dem Schuppen und pumpen es auf, dann verstauen sie es im Auto.
„Langohr, pack du das Angelzeug und die Badesachen ein, ich kümmere mich um den Picknickkorb", ruft Teddy.

Hui, los geht's! Langohr hupt übermütig und gibt Gas, daß die Räder durchdrehen und Igel Stachi erschrocken zur Seite springt.

Sie sind noch nicht lange unterwegs, da sagt Teddy: „Halt bitte an, ich bin so hungrig!" — „Kannst du nicht warten, bis wir am See sind?" fragt Langohr verärgert. Doch Teddy hält's nicht länger aus. Er mampft, als ob er heute noch nichts gegessen hätte.

Als Langohr das Auto wieder startet, rührt es sich nicht vom Fleck. „Schieb an, Teddy!" ruft er. „Du hast dich ja vorhin gestärkt."
Teddy schiebt, aber es tut sich nichts. „Noch mal, kräftiger!" schreit Langohr. Teddy schiebt von neuem, da löst dieses Schlitzohr am Steuer plötzlich die Bremse, und das Auto fährt ruckartig an. Plumps! liegt Teddy auf dem Bauch, und obendrein in einer Pfütze.

Klar, daß sie an der nächsten Eis-
diele halten. Die Freunde bestellen
Eis. „Zwei riesige Becher, bitte!"

Endlich sind sie am See. Sie lassen sofort das Boot ins Wasser und rudern weit hinaus. Teddy will schwimmen und tauchen. Langohr aber möchte in Ruhe angeln. „Na, spring schon", ermuntert er Teddy. Platsch! ist er im Wasser.

„Schau, eine Insel!" ruft Teddy. „Wollen wir sie erkunden?" Sie gehen an Land. „Juhu, außer uns ist niemand da!" freut sich Langohr. Die Freunde tollen übermütig im Gras.
Auf einmal schreit Teddy: „Das Boot ist fortgetrieben! Was machen wir jetzt?"

„Abwarten", sagt Langohr. Potzblitz, ganz plötzlich beginnt es zu tröpfeln und wird bald ein heftiger Sommerregen. „Es gießt wie aus Eimern!" jammert Teddy. „Das Tuch hält nichts mehr auf, ich bin schon ganz naß." — „Jammer doch nicht!" sagt Langohr. Dann wendet er sich an die Küken: „He, könnt ihr Hilfe holen?"

Tucktucktuck! Die Freunde sehen sich an. Und wieder: tucktucktuck! „Donnert es?" fragt Teddy ängstlich. Der Hase spitzt die Ohren. „Ach wo", ruft er, „ein Boot kommt!" Und wirklich legt eines an.

„Steigt ein!" ruft der Dachs ihnen zu. „Die Küken haben die Wasserwacht verständigt."
„Das haben sie prima gemacht!" sagt Teddy bibbernd.

Patschnaß steigen die Freunde ins Auto. Erst spät am Abend sind sie wieder zu Hause. Nach einem warmen Bad setzen sie sich vor das Feuer und erzählen von ihren Erlebnissen, bis... ja, bis ihnen die Augen zufallen.

Wuff und Miau

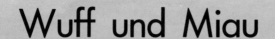

Auf dem Bauernhof leben friedlich miteinander
die Kuh Mali, der Esel Tim und die weiße Ziege
Gisi. Sie wohnen im gleichen Stall. Zur großen
Familie der Bauernhoftiere gehören auch der
Hahn Kiki, die Henne Gluck und ihre vielen
goldgelben Küken.
Der Hofhund Wuff sorgt dafür, daß keine un-
gebetenen Gäste den Hof betreten.

Es hat die ganze Nacht geregnet.
Am Morgen gelingt es der Sonne,
die Wolken zu vertreiben. Der
Hahn wacht als erster auf, sieht
sich um und beginnt ganz aufgeregt zu krähen. „Kikeriki,
kikeriki!" Wenn er zweimal ohne eine Pause dazwischen
kräht, so will er den Tieren etwas mitteilen. „Was gibt's?"
fragt Wuff. Bevor Kiki antwortet, hören sie ein leises
Wimmern und entdecken das kleine nasse Kätzchen.

Wuff weiß nicht, was er tun soll. Sind auch halb erfrorene nasse Kätzchen ungebetene Gäste? Soll er es durch Bellen vertreiben?

Da sagt die Kuh: „Das Kleine zittert am ganzen Leib. Wuff, bring es in den Stall herein!" Der Hund nähert sich widerwillig. „Igitt, das riecht nach Katze", denkt er. Die Tiere kümmern sich liebevoll um das Junge.

Bald ist das Kätzchen trocken und friert nicht mehr. Und als es von der Ziege Gisi Milch bekommt, schreit es gut hörbar „miau". Mehr kann es noch nicht sagen. „Wir könnten das Kätzchen Miau rufen", schlägt Henne Gluck vor.

Alle sind einverstanden. Nun ruft jeder Miau, damit sich das Kätzchen seinen Namen merkt.

„So ein Theater um eine Kätzchen!" brummt Wuff. Um ihn kümmert sich keiner. Ist er vielleicht eifersüchtig?

Das Kätzchen erholt sich bald. Es streift immer gutge-launt im Stall herum. Wenn jemand Zeit zum Spielen hat, ist es zufrieden.

Alle haben Miau gern. Alle außer Wuff. Der kann es an-scheinend nicht leiden.

Wenn das Kätzchen neugierig aus dem Stall guckt, knurrt er laut. Erschrocken zieht es sich dann zurück oder springt aufs Dach hinauf.

So geht das eine Zeitlang. Als Miau größer wird und durch Hof und Garten streift, verfolgt es Wuff oft mit wildem Bellen. Die anderen Tiere schütteln den Kopf. „Was hat er nur gegen Miau?"
Und dann eines Tages, passiert es: Wuff verfolgt Miau durch den Garten und bleibt im Stacheldraht hängen. Ein Stachel bohrt sich tief in seine Pfote. Vor Schmerz heult er auf.

Miau bleibt stehen und blickt erschrocken auf Wuff. Dann springt es entschlossen auf den Draht und zerrt so lange daran, bis Wuff seine Pfote wieder freibekommt. Es leckt sogar die Wunde sauber. Wuff gibt keinen Ton von sich, er schämt sich.

Seit dem Tag sind die beiden dicke Freunde geworden. „Miau ist ja gar keine freche, sondern
eine liebe Katze", denkt Wuff. Alle Tiere freuen
sich, daß auf dem Bauernhof wieder Frieden
herrscht.

Miezemutz reißt aus

Frau Fink hat ein Haus voller Katzen. Jede hat einen Namen und kommt sofort gelaufen, wenn sie gerufen wird.

Wenn jemand an der Haustür läutet, macht Frau Fink sie nur einen Spaltbreit auf. Aber bevor sie selbst noch zu sehen ist, gucken einen ein paar neugierige Katzenaugen an. Das Kätzchen mit dem rotgetigerten Fell ist immer dabei, denn es ist das neugierigste von allen.

Willst du die Geschichte von Miezemutz, dem getigerten Katzenkind, hören?

Die graue Katzenmutter hat sieben Kätzchen auf die Welt gebracht: zwei weiße, zwei schwarze, zwei rote und eines, das war gestreift wie ein Zebra oder ein Tiger, wenn es rotgestreifte Zebras oder Tiger geben würde.

Dieses rotgetigerte Kätzchen heißt Miezemutz, und es war von Anfang an anders als seine Geschwister.

Wenn die Katzenmutter ruft: „Miau, kommt, meine Kinder! Kommt, trinkt eure Milch!", dann hat Miezemutz ganz sicher keine Lust dazu.

Miezemutz bleibt, wo es gerade ist. Es tut, als hätte es nichts gehört, spielt weiter oder liegt faul in der Sonne herum.

Die Katzenmutter ist über ihr verspieltes Katzenkind natürlich sehr verärgert.

Warum muß es auch immer aus der Reihe tanzen?

Eines Tages, als sie den Kindern beibringt, wie eine Katze auf Mäusejagd geht, ist Miezemutz wieder nicht dabei.

Die Katzenmutter schimpft: „Wie willst du denn eine richtige Katze werden, wenn du nichts lernst und immer nur spielst? Mit dir habe ich nur Ärger!"

Miezemutz erschrickt. „Mutter hat mich nicht mehr lieb", denkt es.
„Ich will in die weite Welt gehen und mir eine andere Mutter su-
chen. Die soll nur mich allein liebhaben."
Und schon läuft es — husch! — zum Gartentor hinaus, über die
Wiese und in den Wald hinein.
Hier stehen aber so viele Bäume, daß die Sonnenstrahlen draußen
bleiben müssen. Es ist finster und kalt.
Miezemutz friert. Außerdem hat es niemanden zum Spielen.
Das Kätzchen klettert auf einen Baum. Es fühlt sich so allein.
„Wohnt denn niemand in diesem Wald?" ruft es. „Hallo, ist nie-
mand hier?"

Da erscheint ein Eichhörnchen mit einem dichten, buschigen Schwanz und fragt erstaunt: „Wie kommst du denn hierher? Was suchst du allein im dunklen Wald?"

Miezemutz sagt mit weinerlicher Stimme: „Ich suche eine Mutter."

Das Eichhörnchen ist gern bereit, dem Kätzchen eine gute Mutter zu sein, und nimmt es mit in seinen Kobel. So heißt sein Nest aus Zweigen hoch oben im Baumwipfel.

Es bringt Miezemutz gleich Nüsse herbei. Aber das Kätzchen kann die harten Nüsse nicht aufbeißen, schließlich trinkt es sonst nur Milch. Da wird das Eichhörnchen böse. „So ein dummes Kind!" schimpft es. „Geh und such dir eine andere Mutter!"

So muß Miezemutz wieder weiterziehen. Wie gerne wäre es nach Hause zu seinen Geschwistern und zu seiner Mutter gegangen! Aber es kann den Heimweg nicht finden.

Miezemutz streift traurig durch den Wald. Da guckt ein Fuchs aus seinem Bau und fragt: „Kleine Katze, was tust du denn allein im dunklen Wald?"

„Miau, ich habe mich verlaufen", antwortet Miezemutz. „Ich suche eine neue Mutter, die nur mich liebhat."

Der Fuchs ist gern bereit, für Miezemutz eine Mutter zu sein. „Komm mit ins Haus", sagt er. Die beiden schlüpfen in den Fuchsbau tief unter den Wurzeln eines Baumes. Huuu, wie finster es da ist! Wie kalt und feucht! Die Erde verklebt dem Katzenkind das Fell. Es bleibt öfter stehen und bürstet es mit den Pfoten ab, aber es hilft nichts. „Ich laufe ins Dorf und hole uns etwas zu essen", sagt der Fuchs. Aber Miezemutz bettelt: „Laß mich nicht allein, ich habe solche Angst!"

„Ich will keinen Angsthasen zum Kind haben!" ruft der Fuchs empört und schiebt das zitternde Katzenkind gleich aus seinem Bau hinaus. Im Wald ist es inzwischen dunkel geworden und ganz schrecklich kalt.

Miezemutz rollt sich unter Farnkräutern zusammen und zittert vor Angst und Kälte, bis es endlich einschläft. Am frühen Morgen entdeckt eine Eule das frierende, hungernde Katzenkind. Sie hat Mitleid mit ihm und nimmt es mit nach Hause.

Die Eule hat in einer alten Schloßmauer ein behagliches Nest. Es ist groß, und Miezemutz fühlt sich gleich wohl darin. Aber leider ist die Eule sehr oft fort von zu Hause, und so ist Miezemutz viel allein.

„Es ist niemand da zum Spielen", klagt es.

„Du kannst mit den Perlen und Edelsteinen aus der Truhe spielen, die ich im Schloß gefunden habe", meint die Eule.

Aber so gern Miezemutz auch damit spielt, es fühlt sich sehr einsam.

„Ach, wären doch meine Geschwister hier, wie schön könnten wir zusammen spielen!" seufzt Miezemutz und schaut aus dem Nest. Da sieht es eine Rehmutter mit ihrem Kitz vorbeigehen. Sie sorgt sich liebevoll um ihr Kind. „Willst du mich auch zum Kind haben?" fragt Miezemutz. Die Rehmutter hat nichts dagegen, und so springen sie zu dritt durch den Wald. Das Kätzchen ist glücklich, daß endlich jemand zum Spielen da ist. Plötzlich bleibt die Rehmutter stehen und wittert.

„Vorsicht! Ein Jäger!" ruft sie und ist im nächsten Augenblick mit ihrem Kitz wie vom Erdboden verschwunden. Was soll Miezemutz tun? Die Mutter sagte immer: „Bei Gefahr schnell auf einen Baum oder aufs Dach!" Also springt es auf einen Baum. Der Jäger sieht etwas mit rötlichem Fell auf den Baum sausen und glaubt, es sei ein Marder. Blitzschnell hebt er die Flinte und schießt. Zum Glück trifft er das Kätzchen nicht. Aber es fällt vor lauter Schreck vom Baum. „Ja, was haben wir denn da?" staunt der Jäger.

Er nimmt das Kätzchen mit nach Hause und gibt es seiner Tochter Inge. Sie weiß sich vor lauter Freude nicht zu fassen und drückt Miezemutz immer wieder ans Herz.

„Belinda, du machst jetzt dem Katzenkind Platz", wendet sich Inge an ihre Puppe und wirft sie auch gleich aus dem Puppenwagen hinaus. Sie bürstet und streichelt das Kätzchen. Das gefällt ihm so gut, daß es zu schnurren beginnt.

Dann bindet Inge Miezemutz eine große Seidenschleife um den Hals, aber das paßt ihm gar nicht. Es stolpert beim Gehen darüber. Außerdem legt Inge das Kätzchen in den Puppenwagen und führt es spazieren. Als ob es nicht laufen könnte! Oft drückt sie Miezemutz so ans Herz, daß es ihm fast den Atem nimmt. Und als sie dem Kätzchen nur noch Schokolade und Kuchen zu essen gibt, wird es fast krank. „Ich will nach Hause!" weint es und läuft aus dem Jägerhaus über die Wiese in den Wald hinaus.

„Aber welcher Weg führt denn nach Hause?" denkt Miezemutz traurig. Da kommt das Rehkitz angesprungen und sagt: „Steig auf meinen Rücken, ich bring dich bis zum verfallenen Schloß."
Die kluge Eule ist gleich bereit weiterzuhelfen, damit sich Miezemutz nicht wieder verläuft.
„Hast recht, kleines Katzenkind", sagt sie, „geh nach Hause. Deine Mutter hat dich genauso lieb wie deine Geschwister."

Als die Eule nicht mehr weiterweiß, hilft der Fuchs, den richtigen Weg zu finden.
Und schließlich bringt das flinke Eichhörnchen Miezemutz bis an den Waldrand. „Lauf über die Wiese", ruft es zum Abschied, „das Dorf ist nicht mehr weit."
Das Kätzchen springt übermütig über die Wiese und zum Gartentor hinein. Endlich ist es wieder zu Hause!

Die weißen, roten und schwarzen Kätzchen hüpfen Miezemutz entgegen und freuen sich, daß es da ist. Sie wollen gleich mit ihm spielen.

Die Katzenmutter drückt Miezemutz fest an sich und sagt immer nur: „Mein kleines, dummes Miezemutz! Du kleiner Ausreißer!"

Und Miezemutz? Das sagt gar nichts. Sein Herz klopft wild, wie nach einem langen, langen Lauf. Und es fühlt sich rundum glücklich!

Bärli Bär

Bärli ist ein kleiner Bär zum Liebhaben. Sein Fell ist aus weicher, gelbbrauner Wolle. Nur die Nasenspitze ist schwarz, ebenso die Augen, die wie Perlen glänzen.
Wenn man sanft auf Bärlis Bäuchlein drückt, so brummt er: „bruuum, bruuum".

Du meinst, das sei ein ganz gewöhnlicher Bär zum Spielen. „Das stimmt nicht!" widerspricht Berni. Und er muß es ja am besten wissen, weil Bärli Bär ihm gehört.

In der Nacht schläft Bärli neben Berni im Bett, und tagsüber begleitet er ihn überallhin.

Nur in die Schule darf er nicht mitgehen. „Laßt euer Spielzeug zu Hause", hat der Lehrer gleich am Anfang gesagt.

Berni wollte schon rufen: „Bärli Bär ist doch kein Spielzeug!" Aber dann hat er lieber nichts gesagt. „Vielleicht verstehe nur ich seine Sprache", überlegt er. Sein Papa glaubt ja auch nicht, daß Bärli Bär ihm zuhört und mit ihm spricht. Die Kinder würden ihn womöglich auslachen.

So kommt es, daß Bärli daheim wartet, bis Berni aus der Schule kommt. Wenn er seine Schulaufgaben macht, sitzt Bärli vor ihm auf dem Tisch. Er sieht zu, wie er schreibt, rechnet und in seinen Büchern liest. Dabei darf er keinen Mucks tun.

Berni muß oft aus seinen Büchern vorlesen, damit Bärli auch etwas lernt. Er geht ja nicht in die Schule.

„Bärli, willst du wissen, wie Bären leben?" fragt Berni. Und dann erzählt er ihm, was er in seinem Bilderbuch gelesen hat: „Bären leben in großen, dichten Wäldern. Sie fressen Beeren oder Pilze und stehlen Honig von den Bienen. Und sie jagen Mäuse und auch Fische, wenn sie welche finden können. Bären leben in Höhlen. Diese polstern sie mit Tannenzweigen, Moos und Laub aus, damit sie es warm und weich haben."

Bärli hört zu, das interessiert ihn sehr.

„Wie schön das Leben im Wald sein muß!" denkt Bärli. Dann bittet er: „Berni, laß mich in die Welt hinausziehen! Ich möchte auch im Wald leben." Schweren Herzens läßt Berni ihn gehen.

Bärli rennt über die Wiese und ist bald im Wald. Huu, wie dunkel es da ist! Er stolpert über große Wurzeln, die mitten auf dem Weg wachsen. Dann bahnt er sich einen Weg durchs Farnkraut. Aber nirgends sieht er eine Höhle.

„Ich werde auf den Baum klettern, um von oben nach einer Höhle zu suchen", denkt Bärli. Aber es ist sehr mühevoll hinaufzuklettern. Im Tannenwald entdeckt er zackige Felsen. „Wo Felsen sind, gibt es auch Höhlen, hat Berni gesagt. Also will ich dort weitersuchen", denkt Bärli.

Auweh, hinuntersteigen ist ja noch schwerer als hinaufklettern! Bärli Bär setzt einen Fuß vorsichtig neben den anderen. Aber doch nicht vorsichtig genug, denn auf einmal ist er — rrrrutsch! — schneller unten, als er wollte. Er muß ein Stück Fell lassen und landet auf dem Bäuchlein. „Brrrruuummm!" macht es, und ein Häslein hoppelt neugierig näher. „Ein Bär!" ruft es erschrocken und rennt weg. Bärli bleibt allein zurück.

Das Bärenleben im Wald hat sich Bärli doch anders vorgestellt!
Allein und traurig zieht Bärli weiter.
Inzwischen ist er müde und hungrig geworden. Die Sonne geht hinter den Tannen unter, und es wird bald Nacht.
Endlich findet Bärli die Felsen.

„Es gibt da wirklich Höhlen! Und bewohnt sind sie auch", denkt er.
Als Bärli näherkommt, kreischt der Uhu: „Nehmt euch in acht! Das
ist ein Bär!" Voller Angst verstecken sich alle Tiere in ihren Höhlen.
„Ich werde keine Freunde finden", denkt Bärli traurig. Nein, lustig ist
dieses Bärenleben bestimmt nicht!

Inzwischen ist es Nacht geworden, schwarze Nacht. Bärli Bär macht sich unter Tannenzweigen ein Bett zurecht. Er friert und fühlt sich ganz allein auf der Welt. Wo ist sein weicher, warmer Schlafplatz in Bernis Bett? Dicke Tränen rollen über seine Wangen.

Am Morgen meldet sich wieder der Hunger. Weil ein Bach in der Nähe ist, will Bärli Fische fangen. „Bären fangen Fische", hat Berni erzählt. Bärli erinnert sich ganz genau daran.

Also läuft er zum Bach hinunter. Wie viele Fische es da gibt! „Die warten darauf, daß ich einen fange", denkt er und versucht, einen mit seinen Tatzen zu erwischen.

Er beugt sich weit über das Wasser und, bevor er weiß, wie ihm geschieht, fällt er tatsächlich hinein. Platsch! macht es, das Wasser spritzt hoch auf, und die Fische sind plötzlich weg.
Ein Frosch hat vom Ufer aus alles beobachtet. Jetzt wirft er Bärli einen Ast

zu, damit er sich daran festhalten kann. Aber Bärli kann sich kaum noch über Wasser halten. Sein Fell wird immer schwerer.
Zum Glück wirft ihn eine Welle ans Ufer. Triefend naß bleibt er dort liegen...

Bald finden einige Kinder den nassen Bären. Auch Berni ist unter ihnen und erkennt natürlich sofort seinen Bärli. Glücklich drückt er ihn ans Herz.

„Auch ich bin froh, daß ich wieder bei dir bin", flüstert Bärli Bär ihm ins Ohr.

Muckl und der Schmetterling

Der kleine Hase Muckl hat heute keine Lust, mit seinen Brüdern zu spielen. Er sitzt allein am Feldrand und entdeckt bald einen bunten Schmetterling. „Den will ich mir ganz genau ansehen", denkt er und streckt die Pfote nach ihm aus. Der Schmetterling flattert davon.

„Bleib sitzen, ich will dich ansehen!" ruft Muckl und folgt ihm über die Wiese. Plötzlich raschelt etwas. „Ist das etwa eine Schlange?" denkt Muckl, als eine Eidechse vorbeihuscht. Doch wohin ist der Schmetterling inzwischen geflogen?

Muckl stellt sich auf und schaut suchend um sich. „Ah, dort ist er!"
ruft er und saust wie eine Rakete bis unter den Baum. Dort versucht
er — hopp! — den Schmetterling auf dem Ast zu erreichen. „Hihi,
gib's auf!" lacht eine Meise. „Nein, nie!" schreit Muckl.

Dann fliegt der Schmetterling auf die Wiese, und Muckl saust hinterher, an seinen Brüdern vorbei. Doch er beachtet sie gar nicht, er sieht nur den bunten Falter vor sich. Der fliegt mal tief, mal hoch und will — wie man sieht — Muckl foppen.

Uiii! Muckl bremst im letzten Augenblick vor dem hohlen Baum-
stamm, in dem der Schmetterling verschwindet. Erst zögert Muckl,
doch dann denkt er: „Da drin entkommt er mir nicht!"... und kriecht
ins dunkle Loch. Das Eichhörnchen blickt ihm kopfschüttelnd nach.

Hat Muckl nun den Schmetterling endlich? Nein, noch immer nicht! Mit einem Satz springt er mitten auf die kleine Lichtung und rennt fast ein Rehkitz über den Haufen. Oje, da bleibt Muckl stehen! Jetzt fliegt der Schmetterling ganz nahe an seinem Kopf vorbei.

Muckl greift nach ihm… leider daneben! Er macht sogar einen kleinen Luftsprung. Wieder ohne Erfolg. Der Schmetterling scheint an
diesem Spiel seinen Spaß zu haben. Er läßt sich hoch oben auf einer Heckenrose nieder. „Ihr Igel habt ihn vertrieben!" schimpft

Muckl und saust um den Busch. „Mhh, da gibt es ja Kohl!" Gerade will er einen anknabbern, da kommt doch der freche Schmetterling und setzt sich auf Muckls Nase. Ausgerechnet auf seine Nase! Muckl holt aus... fast hätte er ihn erwischt. Aber eben nur fast.

Schau, er fliegt wieder weiter! Muckl folgt in großen Sätzen über die Wiese. „Jetzt hab' ich dich gleich!" Da — ist das nicht der Bach? Der Atem bleibt ihm fast weg… und schon setzt er mit einem Riesensatz über das Wasser. Bravo, Muckl, das war ein Sprung!

Und der Schmetterling? Für ihn war es ja nichts Besonderes, er ist einfach hinübergeflogen. Muckl bleibt stehen und überlegt. „Mit dir spiele ich nicht mehr!" ruft er. „Flieg, wohin du willst." Und dann hoppelt er über die nahe Brücke zurück nach Hause.

Inhaltsverzeichnis